하루 10분 서술형/문장제 학습지

# 수학 독해

**D2** 평면도형
초4~초5

Creative to Math
씨투엠

# 수학독해 : 수학을 스스로 읽고 해결하다

객관식이나 간단한 단답형 문제는 자신 있는데 긴 문장이나 풀이 과정을 쓰라는 문제는 어려워하는 아이들이 있어요. 빠르고 정확하게 연산하고 교과 응용문제까지도 곧잘 풀어내지만, 문제 속 상황이 약간만 복잡해지면 문제를 풀려고도 하지 않는 아이들도 많아요. 이러한 아이들에게 부족한 것은 연산 능력이나 문제 해결력보다는 독해력과 표현력입니다. 특히 수학적 텍스트를 이해하고 표현하는 능력, 즉 수학 독해력이지요.

요즘 아이들의 독해력이 약해진 가장 큰 이유는 과거에 비해 이야기를 만나는 방식이 다양해졌기 때문이에요. 예전에는 대부분 말이나 글로써만 이야기를 접했어요. 텍스트 위주로 여러 가지 사건을 간접 체험하고, 머릿 속으로 상황을 그려내는 훈련이 자연스럽게 이루어졌지요. 반면 요즘 아이들은 글보다도 TV나 스마트폰 등 영상매체에 훨씬 빨리, 자주 노출되기에 글을 통해 상상을 할 필요가 점점 없어지게 되었습니다.

그렇다고 아이들에게 어렸을 때부터 영화나 애니메이션을 못 보게 하고 책만 읽게 하는 것은 바람직하지 않고, 가능하지도 않아요. 시각 매체는 그 자체로 많은 장점이 있기 때문에 지금의 아이들은 예전 세대에 비해 이미지에 대한 이해력과 적용력이 매우 뛰어나답니다. 문제는 아직까지 모든 학습과 평가 방식이 여전히 텍스트 위주이기 때문에 지금도 아이들에게 독해력이 중요하다는 점이에요. 그래서 저희는 영상 매체에는 익숙하지만 말이나 글에는 약한 아이들을 위한 새로운 수학 독해력 향상 프로그램인 씨투엠 수학독해를 기획하게 되었어요.

씨투엠 수학독해는 기존 문장제/서술형 교재들보다 더욱 쉽고 간단한 학습법을 보여주려 해요. 문제에 있는 문장과 표현 하나하나마다 따로 접근하여 아이들이 어려워하는 포인트를 찾고, 각 포인트마다 직관적인 활동을 통해 독해력과 표현력을 차근차근 끌어올리려고 합니다. 또한 문제 이해와 풀이 서술 과정을 단계별로 세세하게 나누어 문장제, 서술형 문제를 부담 없이 체계적으로 연습할 수 있어요. 새로운 문장제 학습법인 씨투엠 수학독해가 문장제 문제에 특히 어려움을 겪고 있거나 앞으로 서술형 문제를 좀 더 잘 대비하고 싶은 아이들에게 큰 도움이 될 것이라 자신합니다.

# 씨투엠 수학독해의 구성과 특징

- 매일 부담없이 2쪽씩, 하루 10분 문장제 학습
- 매주 5일간 단계별 활동, 6일차는 중요 문장제 확인학습
- 5회분의 진단평가로 테스트 및 복습

## 주차별 구성

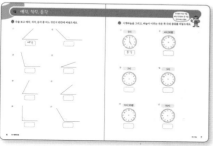

### 일일학습
꼬마 수학자들의
간단한 팁과 함께
매일 새롭게 만나는
단계별 문장제 활동

### 확인학습
중요 문장제 활동을
다시 한번 확인하며
주차 학습 마무리

| 1주차 | 1일 | 2일 | 3일 | 4일 | 5일 | 확인학습 |
|---|---|---|---|---|---|---|
| | 6쪽 ~ 7쪽 | 8쪽 ~ 9쪽 | 10쪽 ~ 11쪽 | 12쪽 ~ 13쪽 | 14쪽 ~ 15쪽 | 16쪽 ~ 18쪽 |

| 2주차 | 1일 | 2일 | 3일 | 4일 | 5일 | 확인학습 |
|---|---|---|---|---|---|---|
| | 20쪽 ~ 21쪽 | 22쪽 ~ 23쪽 | 24쪽 ~ 25쪽 | 26쪽 ~ 27쪽 | 28쪽 ~ 29쪽 | 30쪽 ~ 32쪽 |

| 3주차 | 1일 | 2일 | 3일 | 4일 | 5일 | 확인학습 |
|---|---|---|---|---|---|---|
| | 34쪽 ~ 35쪽 | 36쪽 ~ 37쪽 | 38쪽 ~ 39쪽 | 40쪽 ~ 41쪽 | 42쪽 ~ 43쪽 | 44쪽 ~ 46쪽 |

| 4주차 | 1일 | 2일 | 3일 | 4일 | 5일 | 확인학습 |
|---|---|---|---|---|---|---|
| | 48쪽 ~ 49쪽 | 50쪽 ~ 51쪽 | 52쪽 ~ 53쪽 | 54쪽 ~ 55쪽 | 56쪽 ~ 57쪽 | 58쪽 ~ 60쪽 |

## 진단평가 구성

### 진단평가
4주 간의 문장제 학습에서 부족한 부분을
확인하고 복습하기 위한 자가 진단 테스트

| 진단평가 | 1회 | 2회 | 3회 | 4회 | 5회 |
|---|---|---|---|---|---|
| | 62쪽 ~ 63쪽 | 64쪽 ~ 65쪽 | 66쪽 ~ 67쪽 | 68쪽 ~ 69쪽 | 70쪽 ~ 71쪽 |

# 이 책의 차례

# 1주차

# 각도

# 예각, 직각, 둔각

✿ 각을 보고 예각, 직각, 둔각 중 어느 것인지 빈칸에 써넣으세요.

☆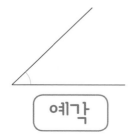

예각

①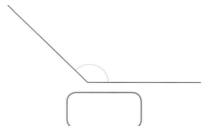

②

③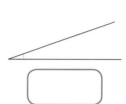

④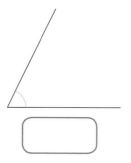

⑤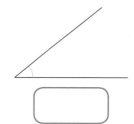

⑥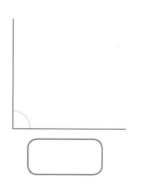

⑦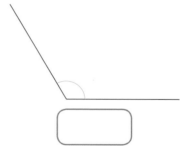

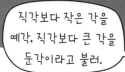

직각보다 작은 각을 예각, 직각보다 큰 각을 둔각이라고 불러.

✿ 시곗바늘을 그리고, 바늘이 이루는 작은 쪽 각의 종류를 써넣으세요.

 5시

둔각

① 4시 30분

② 7시

③ 3시

④ 11시 30분

⑤ 10시

🐞 두 각도의 합과 차를 구해 보세요.

⭐

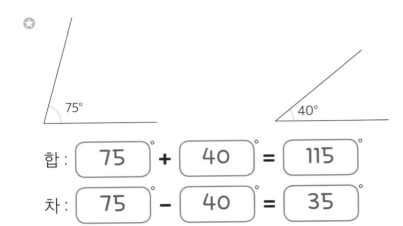

합 : $\boxed{75}^\circ$ **+** $\boxed{40}^\circ$ **=** $\boxed{115}^\circ$

차 : $\boxed{75}^\circ$ **−** $\boxed{40}^\circ$ **=** $\boxed{35}^\circ$

① 

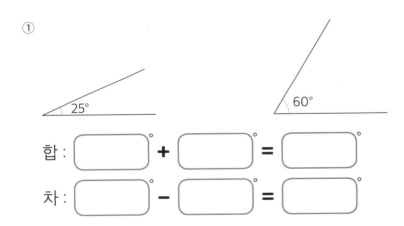

합 : $\boxed{\phantom{00}}^\circ$ **+** $\boxed{\phantom{00}}^\circ$ **=** $\boxed{\phantom{00}}^\circ$

차 : $\boxed{\phantom{00}}^\circ$ **−** $\boxed{\phantom{00}}^\circ$ **=** $\boxed{\phantom{00}}^\circ$

② 

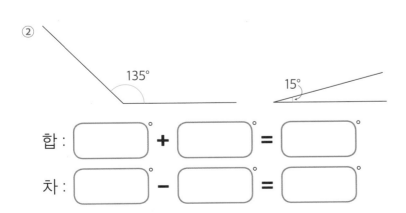

합 : $\boxed{\phantom{00}}^\circ$ **+** $\boxed{\phantom{00}}^\circ$ **=** $\boxed{\phantom{00}}^\circ$

차 : $\boxed{\phantom{00}}^\circ$ **−** $\boxed{\phantom{00}}^\circ$ **=** $\boxed{\phantom{00}}^\circ$

직각의 크기는 90도 이고, 직선이 이루는 각의 크기는 180도야.

🎨 ㉠의 각도를 구해 보세요.

⭐

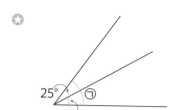

(각 ㉠) = 25° + 30°

식 : 25°+30°=55°

답 : 55°

① 

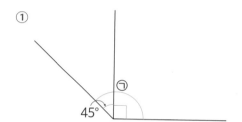

식 : _____

답 : _____

②

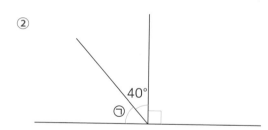

식 : _____

답 : _____

③

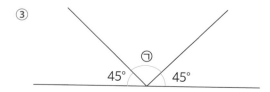

식 : _____

답 : _____

🐝 ㉠의 각도를 구해 보세요.

⭐

(각 ㉠) + 30° + 40° = 180°

식 : __180°-30°-40°=110°__

답 : __110°__

①

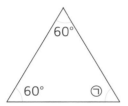

식 : _____

답 : _____

②

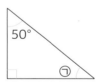

식 : _____

답 : _____

③

식 : _____

답 : _____

🐝 ㉠과 ㉡의 각도의 합을 구해 보세요.

⭐

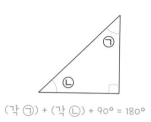

(각 ㉠) + (각 ㉡) + 90° = 180°

풀이 : (각 ㉠)+(각 ㉡)
=180°-90°=90°

답 : ___90°___

①

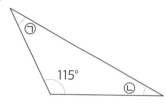

115°

풀이 :

답 : _____

②

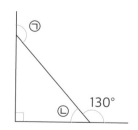

130°

풀이 :

답 : _____

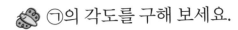 ㉠의 각도를 구해 보세요.

⭐

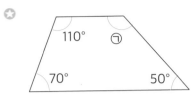

(각 ㉠) + 50° + 70° + 110° = 360°

식 : 360°−110°−70°−50°=130°   답 : 130°

① 

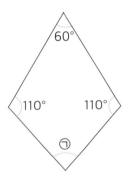

식 : _____   답 : _____

② 

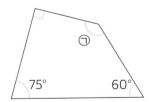

식 : _____   답 : _____

어떤 모양의 사각형이라도 네 각의 합은 항상 360도가 되지.

🍪 ㉠과 ㉡의 각도의 합을 구해 보세요.

⭐

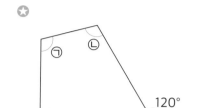

(각 ㉠) + (각 ㉡) + 90 + (나머지 한 각)

= 360°

풀이 : (나머지 한 각)

=180°-120°=60°

(각 ㉠)+(각 ㉡)

=360°-90°-60°=210°

답 : _____210°_____

①

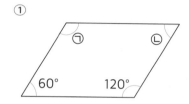

풀이 :



답 : _____

②

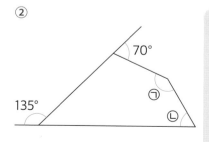

풀이 :



답 : _____

✿ 알맞은 풀이를 쓰고 답을 구하세요.

⚙ 지현이의 피자 조각은 가운데 각도가 120°이고, 민지의 피자 조각은 가운데 각도가 75°입니다. 지현이의 피자 조각은 민지의 것보다 각도가 몇 도 더 클까요?

> 풀이 : (두 피자 조각 가운데 각도의 차)
> (지현이 피자 조각 각도) – (민지 피자 조각 각도)
> = 120°– 75° = 45°
>
> 답 : _____ 45° _____

① 35°만큼 벌어져 있는 가위를 70°만큼 더 벌렸습니다. 가위가 벌어진 각도는 몇 도일까요?

> 풀이 :
>
>
>
> 답 : _____

② 등산로의 경사도가 동쪽 경사로는 25°이고, 서쪽 경사로는 40°입니다. 서쪽 경사로는 동쪽 경사로보다 경사도가 몇 도 더 클까요?

> 풀이 :
>
>
>
> 답 : _____

③ 수연이는 직각만큼 팔을 벌리고 서 있었습니다. 수연이가 팔을 30°만큼 더 벌렸다가 다시 50°만큼 좁혔다면 수연이가 벌린 팔의 각도는 몇 도일까요?

풀이 :

답 : _____

④ 삼각김밥의 두 각의 크기는 각각 50°, 65°입니다. 삼각김밥의 나머지 한 각의 크기는 몇 도일까요?

풀이 :

답 : _____

⑤ 가오리연의 마주 보고 있는 두 각의 크기는 둘다 95°입니다. 가오리연의 나머지 두 각의 크기의 합은 몇 도일까요?

풀이 :

답 : _____

✎ 시곗바늘을 그리고, 바늘이 이루는 작은 쪽 각의 종류를 써넣으세요.

① 　7시 30분

② 　9시

✎ 두 각도의 합과 차를 구해 보세요.

③

120°　　　　60°

합 : ⬚° + ⬚° = ⬚°

차 : ⬚° − ⬚° = ⬚°

④

55°

합 : ⬚° + ⬚° = ⬚°

차 : ⬚° − ⬚° = ⬚°

✏️ ㉠의 각도를 구해 보세요.

⑤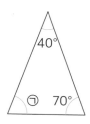

식 : _____

답 : _____

⑥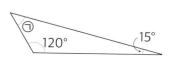

식 : _____

답 : _____

⑦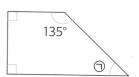

식 : _____     답 : _____

⑧

식 : _____     답 : _____

✎ 알맞은 풀이를 쓰고 답을 구하세요.

⑨ 정각 6시에 시계의 두 바늘이 이루는 각도는 180°였습니다. 30분 뒤에 두 바늘이 이루는 작은 쪽의 각도는 몇 도가 될까요?

풀이 :

답 : _____

⑩ 트라이앵글의 한 각의 크기는 70°입니다. 트라이앵글의 나머지 두 각의 크기의 합은 몇 도일까요?

풀이 :

답 : _____

⑪ 사각형 모양의 화단이 있습니다. 화단의 세 각의 크기가 각각 90°, 75°, 60°일 때, 나머지 한 각의 크기는 몇 도일까요?

풀이 :

답 : _____

## 2주차

# 평면도형의 이동

❀ 지시에 맞게 밀었을 때의 도형을 그려 보세요.

☆ 도형을 오른쪽으로 6 cm 밀었을 때의 도형

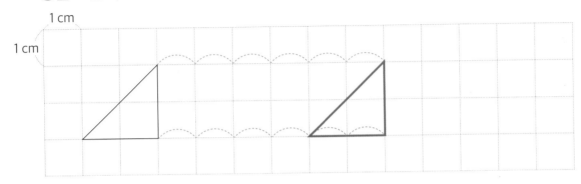

① 도형을 왼쪽으로 9 cm 밀었을 때의 도형

② 도형을 오른쪽으로 7 cm, 위쪽으로 2 cm 밀었을 때의 도형

어느 방향으로 밀어도 도형의 모양과 크기는 바뀌지 않아.

✿ 도형의 이동 방법을 설명해 보세요.

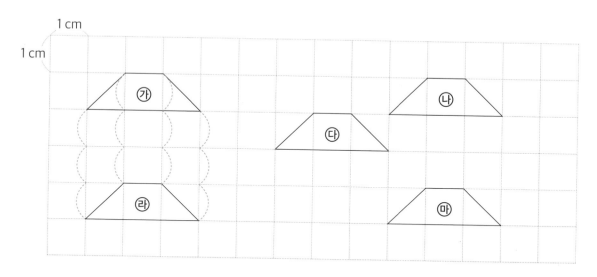

1 cm
1 cm

⭐ ㉮ 도형은 ㉣ 도형을 _____위_____ 쪽으로 ___3___ cm 밀어서 이동한 도형입니다.

① ㉯ 도형은 ㉮ 도형을 _____ 쪽으로 _____ cm 밀어서 이동한 도형입니다.

② ㉫ 도형은 ㉯ 도형을 _____ 쪽으로 _____ cm 밀어서 이동한 도형입니다.

③ ㉡ 도형은 ㉫ 도형을 위쪽으로 _____ cm, _____ 쪽으로 _____ cm 밀어서 이동한 도형입니다.

주어진 방향으로 뒤집었을 때의 도형을 그려 보세요.

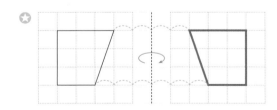

①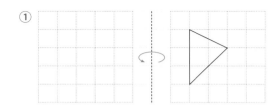

②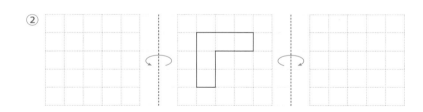

③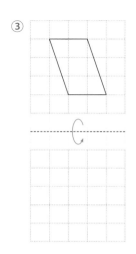

④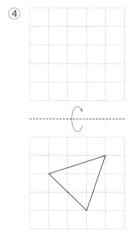

⑤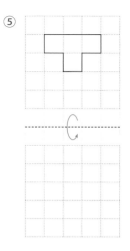

왼쪽으로 뒤집은 도형은 오른쪽으로 뒤집은 도형과 모양이 똑같지.

도형의 이동 방법을 설명해 보세요.

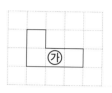 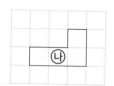 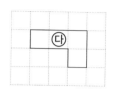 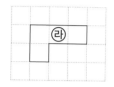

☆ ㉮ 도형은 ㉯ 도형을 _____오른_____ 쪽으로 뒤집은 도형입니다.
　　　　　　　　　(또는) 왼

① ㉮ 도형은 ㉴ 도형을 _____ 쪽으로 뒤집은 도형입니다.

② ㉯ 도형은 ㉰ 도형을 _____ 쪽으로 뒤집은 도형입니다.

③ ㉰ 도형은 ㉴ 도형을 _____ 쪽으로 뒤집은 도형입니다.

④ ㉴ 도형은 ㉯ 도형을 오른쪽으로 뒤집은 후 _____ 쪽으로 뒤집은 도형입니다.

🐝 주어진 방법으로 돌렸을 때의 도형을 그려 보세요.

⭐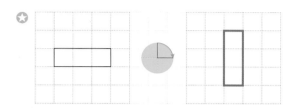

시계 방향으로 90°만큼 돌리기

①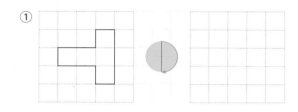

②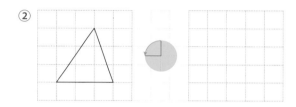

③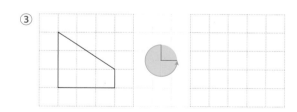

④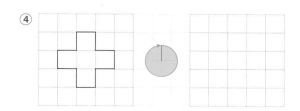

🐝 도형의 이동 방법을 설명해 보세요.

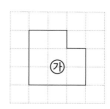

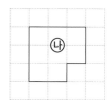

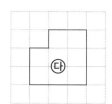

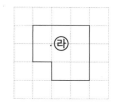

☆ ㉣ 도형은 ㉡ 도형을 시계 방향으로 ___**90°**___ 만큼 돌린 도형입니다.

① ㉢ 도형은 ㉡ 도형을 시계 방향으로 _____ 만큼 돌린 도형입니다.

② ㉣ 도형은 ㉠ 도형을 시계 반대 방향으로 _____ 만큼 돌린 도형입니다.

③ ㉠ 도형은 ㉡ 도형을 시계 방향으로 _____ 만큼 돌린 도형입니다.

④ ㉣ 도형은 ㉢ 도형을 시계 반대 방향으로 _____ 만큼 돌린 도형입니다.

# 뒤집고 돌리기

🎨 주어진 방법으로 뒤집고 돌렸을 때의 도형을 그려 보세요.

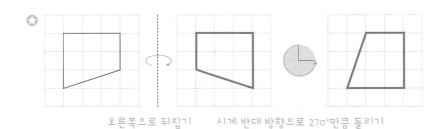

오른쪽으로 뒤집기　　시계 반대 방향으로 270°만큼 돌리기

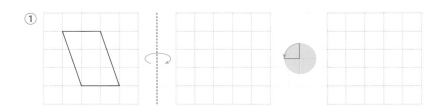

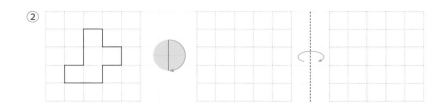

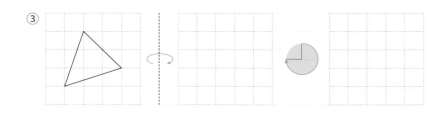

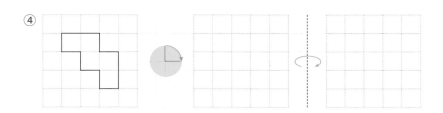

같은 방향으로 짝수 번 뒤집은 도형은 원래 도형과 모양이 같아.

🎨 여러 번 뒤집고 돌린 도형을 그려 보세요.

★ 아래쪽으로 3번 뒤집고, 시계 반대 방향으로 270°만큼 3번 돌렸을 때의 도형

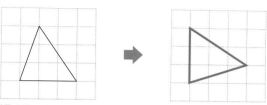

아래쪽으로 3번 뒤집기 ⟶ 아래쪽으로 1번 뒤집기

시계 반대 방향으로 270° 돌리기 ⟶ 시계 방향으로 90° 돌리기

90°만큼 3번 돌리기 ⟶ 270°만큼 돌리기

① 오른쪽으로 4번 뒤집고, 시계 반대 방향으로 180°만큼 2번 돌렸을 때의 도형

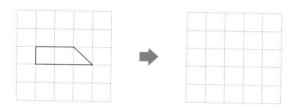

② 위쪽으로 5번 뒤집고, 시계 방향으로 90°만큼 6번 돌렸을 때의 도형

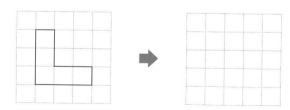

③ 왼쪽으로 3번 뒤집고, 시계 방향으로 180°만큼 5번 돌렸을 때의 도형

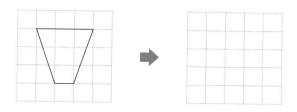

# 숫자 움직이기

✽ 다음 디지털 숫자를 보고 물음에 답하세요.

✪ 숫자 2를 오른쪽으로 뒤집으면 어떤 숫자가 될까요?

답 : __5__

① 숫자 3을 아래쪽으로 뒤집으면 어떤 숫자가 될까요?

답 : _____

② 숫자 9를 시계 방향으로 180° 돌리면 어떤 숫자가 될까요?

답 : _____

③ 숫자 8을 시계 반대 방향으로 180° 돌리면 어떤 숫자가 될까요?

답 : _____

④ 위쪽으로 뒤집었을 때 원래 숫자와 같아지는 숫자를 모두 찾아보세요.

답 : _____

뒤집었을 때 원래 도형과 같아지는 것을 선대칭이라고 해.

🌸 수를 지시에 맞게 움직였을 때 만들어지는 수를 구해 보세요.

58을 오른쪽으로 뒤집으면 82

①

②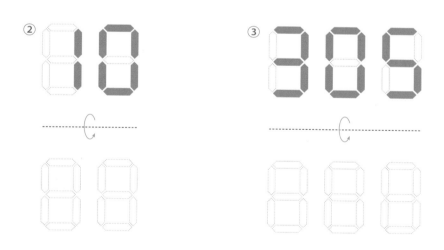

③

④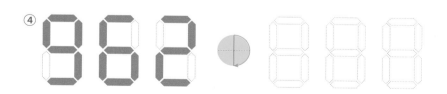

# 확인학습

✏️ 지시에 맞게 밀었을 때의 도형을 그려 보세요.

① 도형을 아래쪽으로 1 cm, 왼쪽으로 6 cm 밀었을 때의 도형

✏️ 주어진 방향으로 뒤집었을 때의 도형을 그려 보세요.

②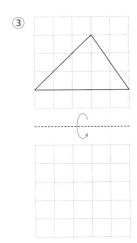

③ 

④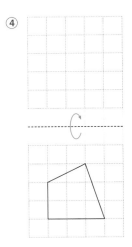

✎ 주어진 방법으로 돌렸을 때의 도형을 그려 보세요.

⑤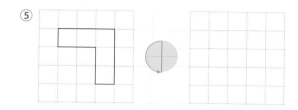

⑥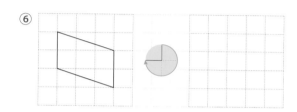

✎ 여러 번 뒤집고 돌린 도형을 그려 보세요.

⑦ 왼쪽으로 2번 뒤집고, 시계 방향으로 180°만큼 6번 돌렸을 때의 도형

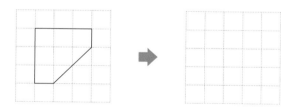

⑧ 아래쪽으로 5번 뒤집고, 시계 반대 방향으로 270°만큼 2번 돌렸을 때의 도형

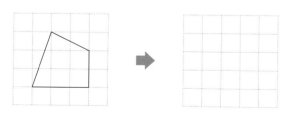

✎ 수를 지시에 맞게 움직였을 때 만들어지는 수를 구해 보세요.

⑨

⑩

⑪ ⑫
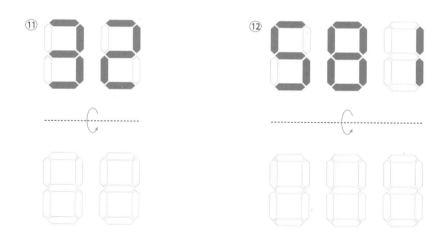

⑬

**3주차**

# 삼각형

✿ 다음 삼각형을 보고 물음에 답하세요.

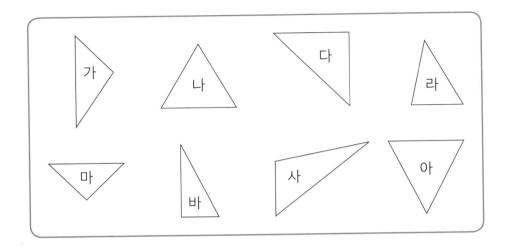

☘ 세 변의 길이가 모두 다른 삼각형을 모두 찾아보세요.

답 : <u>**가, 라, 바, 사**</u>

① 두 변의 길이가 같은 삼각형을 이등변삼각형이라고 합니다. 이등변삼각형을 모두 찾아보세요.

답 : _____

② 이등변삼각형 중 세 변의 길이가 모두 같은 삼각형을 정삼각형이라고 합니다. 정삼각형을 모두 찾아보세요.

답 : _____

이등변삼각형의
나머지 한 변의 길이도
같으면 정삼각형이야.

🌸 밑줄 친 곳에 삼각형의 이름을 알맞게 써넣으세요.

✪ 세 변의 길이가 같은 삼각형을 _____정삼각형_____ 이라고 합니다.

① 두 변의 길이가 같은 삼각형을 _____ 이라고 합니다.

② 정삼각형은 두 변의 길이가 같으므로 모두 _____ 입니다.

③ 세 각이 모두 60°인 삼각형은 _____ 입니다.

④ _____ 은 두 각의 크기가 같습니다.

⑤ 두 변의 길이가 같고 한 각이 60°인 삼각형은 _____ 입니다.

다음 도형은 이등변삼각형입니다. ㉠의 길이를 구하세요.

☆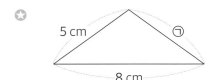

답 : __5 cm__

①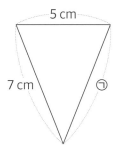

답 : _____

②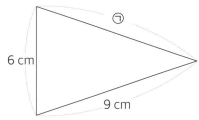

답 : _____

③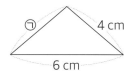

답 : _____

정삼각형의 둘레의 길이는 정삼각형의 한 변의 길이의 3배야.

🎨 다음 물음에 답하세요.

✪ 한 변의 길이가 8 cm인 정삼각형의 세 변의 길이의 합은 몇 cm일까요?

식 : ___8 × 3 = 24___  답 : ___24 cm___

(정삼각형의 세 변의 길이의 합)
= (정삼각형의 한 변의 길이) × 3

① 길이가 21 cm인 색 테이프로 한 변의 길이가 가장 긴 정삼각형을 만들려고 합니다. 정삼각형의 한 변의 길이는 몇 cm일까요?

식 : _____  답 : _____

② 오른쪽 이등변삼각형의 세 변의 길이의 합은 몇 cm일까요?

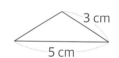

식 : _____  답 : _____

③ 오른쪽 이등변삼각형의 세 변의 길이의 합이 14 cm일 때 ㉠의 길이는 몇 cm일까요?

식 : _____  답 : _____

다음 도형은 이등변삼각형입니다. ㉠의 각도를 구하세요.

답 : ____70°____

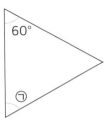

답 : _____

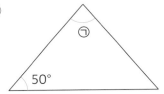

답 : _____

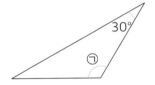

답 : _____

이등변삼각형의 세 각 중 적어도 두 각의 크기는 항상 같아.

🐝 나머지 한 각의 크기를 구하고, 이등변삼각형인지 알아보세요.

⭐ 두 각의 크기가 각각 45°, 90°인 삼각형

식 : __180° – 45° – 90° = 45°__       답 : __45°__

주어진 삼각형은 이등변삼각형이 ( 맞습니다. 아닙니다 ).

크기가 같은 두 각이 있으므로 이등변삼각형입니다.

① 두 각의 크기가 각각 120°, 40°인 삼각형

식 : _____       답 : _____

주어진 삼각형은 이등변삼각형이 ( 맞습니다, 아닙니다 ).

② 두 각의 크기가 각각 55°, 75°인 삼각형

식 : _____       답 : _____

주어진 삼각형은 이등변삼각형이 ( 맞습니다, 아닙니다 ).

③ 두 각의 크기가 각각 75°, 30°인 삼각형

식 : _____       답 : _____

주어진 삼각형은 이등변삼각형이 ( 맞습니다, 아닙니다 ).

🎨 밑줄 친 곳에 예각삼각형, 직각삼각형, 둔각삼각형 중 하나를 써넣으세요.

⭐

**직각삼각형**

한 각이 직각이고, 나머지 두 각이
예각이므로 직각삼각형입니다.

①

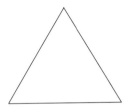

_____

②

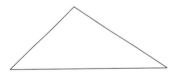

_____

③

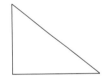

_____

④

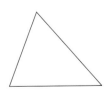

_____

⑤

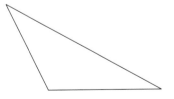

_____

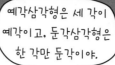

예각삼각형은 세 각이 예각이고, 둔각삼각형은 한 각만 둔각이야.

🎨 다음은 모두 틀린 설명입니다. 틀린 이유를 써 보세요.

☆ 두 각이 예각인 삼각형은 모두 예각삼각형입니다.

> 이유 : 직각삼각형에는 예각이 2개 있지만 예각삼각형이 아닙니다.

① 두 각이 둔각인 삼각형을 둔각삼각형이라고 부릅니다.

이유 :

② 직각삼각형이면서 둔각삼각형인 삼각형이 있습니다.

이유 :

# 두 가지 기준으로 분류

🌸 삼각형을 보고 밑줄 친 곳에 알맞은 이름을 써넣으세요.

⭐

두 변의 길이가 같으므로 ___이등변삼각형___ 입니다.

한 각이 직각이므로 ___직각삼각형___ 입니다.

①

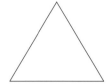

두 변의 길이가 같으므로 _____ 입니다.

세 변의 길이가 같으므로 _____ 입니다.

세 각이 모두 예각이므로 _____ 입니다.

②

두 변의 길이가 같으므로 _____ 입니다.

한 각이 둔각이므로 _____ 입니다.

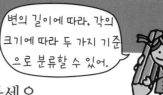

변의 길이에 따라, 각의 크기에 따라 두 가지 기준으로 분류할 수 있어.

🌼 삼각형의 이름이 될 수 있는 것을 모두 찾아 ◯표 하세요.

✪ 두 각의 크기가 각각 50°, 80°인 삼각형

> (이등변삼각형)　　정삼각형
>
> (예각삼각형)　　직각삼각형　　둔각삼각형

나머지 한 각의 크기는 180°-50°-80°=50°이므로

두 각의 크기가 같은 이등변삼각형이면서 세 각이 모두 예각인 예각삼각형입니다.

① 두 각의 크기가 각각 60°, 60°인 삼각형

> 이등변삼각형　　정삼각형
>
> 예각삼각형　　직각삼각형　　둔각삼각형

② 두 각의 크기가 각각 30°, 40°인 삼각형

> 이등변삼각형　　정삼각형
>
> 예각삼각형　　직각삼각형　　둔각삼각형

# 확인학습

✎ 다음 물음에 답하세요.

① 길이가 48 cm인 철사로 한 변의 길이가 가장 긴 정삼각형을 만들려고 합니다. 정삼각형의 한 변의 길이는 몇 cm일까요?

식 : _____     답 : _____

② 오른쪽 이등변삼각형의 세 변의 길이의 합은 몇 cm일까요?

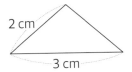

식 : _____     답 : _____

✎ 다음 도형은 이등변삼각형입니다. ㉠의 각도를 구하세요.

③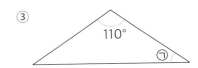

답 : _____

④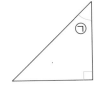

답 : _____

✏️ 다음은 모두 틀린 설명입니다. 틀린 이유를 써 보세요.

⑤ 한 각이 예각, 한 각이 직각, 한 각이 둔각인 삼각형을 그릴 수 있습니다.

이유 :

⑥ 직각삼각형이면서 이등변삼각형인 삼각형은 없습니다.

이유 :

⑦ 정삼각형은 둔각삼각형입니다.

이유 :

✏️ 삼각형의 이름이 될 수 있는 것을 모두 찾아 ○표 하세요.

⑧ 두 각의 크기가 각각 25°, 25°인 삼각형

이등변삼각형　　정삼각형

예각삼각형　　직각삼각형　　둔각삼각형

⑨ 두 각의 크기가 각각 30°, 60°인 삼각형

이등변삼각형　　정삼각형

예각삼각형　　직각삼각형　　둔각삼각형

⑩ 두 각의 크기가 각각 55°, 70°인 삼각형

이등변삼각형　　정삼각형

예각삼각형　　직각삼각형　　둔각삼각형

**4주차**

# 사각형

✿ 밑줄 친 곳에 알맞은 말을 써넣으세요.

✪ 두 직선이 만나서 이루는 각이 직각일 때, 두 직선은 서로 ___수직___ 이라고 합니다.

① 두 직선이 서로 수직으로 만나면 한 직선은 다른 직선에 대한 _____ 이라고 합니다.

② 서로 만나지 않는 두 직선을 _____ 하다고 합니다.

③ 평행한 두 직선을 _____ 이라고 합니다.

④ 평행선의 한 직선에서 다른 직선에 대한 수선을 긋습니다. 이때 이 수선의 길이를 _____ 라고 합니다.

수직인 두 직선을 수선, 평행한 두 직선을 평행선이라고 해.

✿ 그림을 보고 물음에 답하세요.

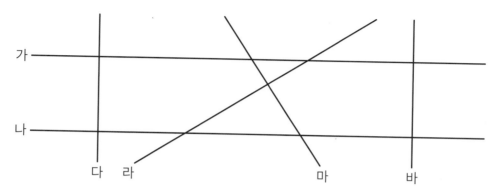

☆ 직선 가와 평행한 직선을 찾아 기호를 쓰세요.

답 :    직선 나

① 직선 나에 대한 수선을 모두 찾아 기호를 쓰세요.

답 : _____

② 직선 바와 평행한 직선을 찾아 기호를 쓰세요.

답 : _____

③ 직선 라에 대한 수선을 찾아 기호를 쓰세요.

답 : _____

# 사다리꼴과 평행사변형

🎨 잘랐을 때 사다리꼴에는 '사', 평행사변형에는 '평'이라고 써넣으세요.

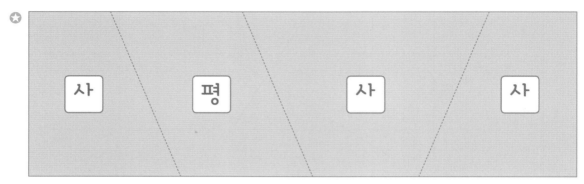

사다리꼴이면서 평행사변형인 도형은 '평'이라고만 써넣었습니다.

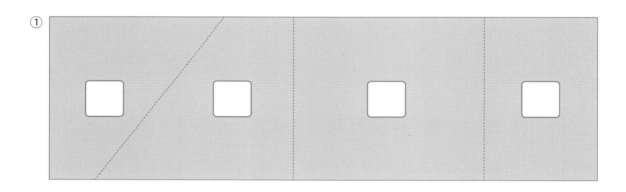

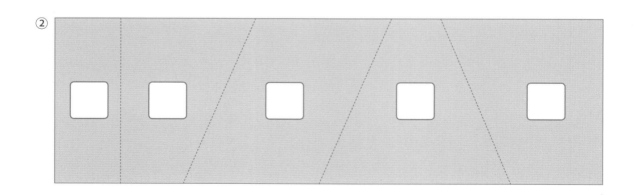

🎨 다음 사다리꼴에서 평행선 사이의 거리를 구하세요.

⭐

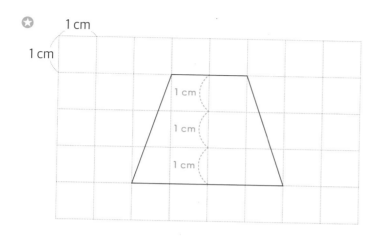

답 : __3 cm__

① 

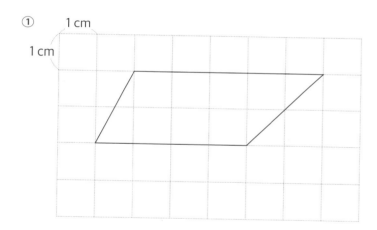

답 : _____

② 

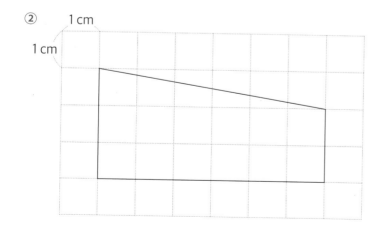

답 : _____

🐝 다음 물음에 답하세요.

⭐ 두 변의 길이가 6 cm, 8 cm인 평행사변형의 네 변의 길이의 합은 몇 cm일까요?

식 : <u>6+8+6+8=28</u>  답 : <u>28 cm</u>

평행사변형은 마주 보는 두 쌍의 변의 길이가 같으므로
나머지 두 변의 길이도 6 cm, 8 cm입니다.

① 두 변의 길이가 5 cm, 10 cm인 평행사변형의 네 변의 길이의 합은 몇 cm일까요?

식 : _____  답 : _____

② 네 변의 길이의 합이 18 cm인 평행사변형의 한 변의 길이가 6 cm입니다. 길이가 다른 한 변의 길이는 몇 cm일까요?

식 : _____  답 : _____

③ 길이가 26 cm인 철사를 남김없이 써서 한 변의 길이가 4 cm인 평행사변형을 만들었습니다. 길이가 다른 한 변의 길이는 몇 cm일까요?

식 : _____  답 : _____

🐝 다음 도형은 평행사변형입니다. ㉠의 각도를 구하세요.

⭐

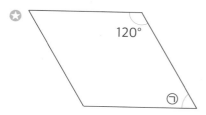

식 : __180°-120=60°__

답 : __60°__

평행사변형에서 이웃하는 두 각도의 합은 180°입니다.

①

식 : _____

답 : _____

②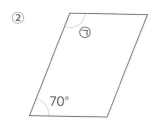

식 : _____

답 : _____

③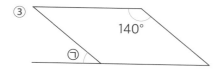

식 : _____

답 : _____

# 마름모와 직사각형

🪳 다음 물음에 답하세요.

⭐ 한 변의 길이가 9 cm인 마름모의 네 변의 길이의 합은 몇 cm일까요?

식 : _____ 9 × 4 = 36 _____     답 : _____ 36 cm

마름모의 네 변의 길이는 모두 같으므로
네 변의 길이의 합은 한 변의 길이의 4배입니다.

① 한 변의 길이가 12 cm인 마름모의 네 변의 길이의 합은 몇 cm일까요?

식 : _____     답 : _____

② 길이가 24 cm인 끈을 남김없이 써서 마름모를 만들려고 합니다. 마름모의 한 변의 길이는 몇 cm일까요?

식 : _____     답 : _____

③ 한 각의 크기가 75°인 마름모가 있습니다. 이 각과 이웃하는 각의 크기는 몇 도일까요?

식 : _____     답 : _____

마름모이면서 직사각형인 사각형이 바로 정사각형이야.

🎨 다음 물음에 답하세요.

⭐ 가로가 8 cm, 세로가 7 cm인 직사각형의 네 변의 길이의 합은 몇 cm일까요?

식 : 8+7+8+7=30          답 : 30 cm

직사각형은 마주 보는 두 변의 길이가 같으므로
나머지 두 변의 길이도 각각 8 cm, 7 cm입니다.

① 가로가 3 m, 세로가 8 m인 직사각형 모양의 매트가 있습니다. 이 매트의 네 변의 길이의 합은 몇 m일까요?

식 : _____          답 : _____

② 네 변의 길이의 합이 20 cm인 직사각형 모양의 카드를 만들었습니다. 이 카드의 세로가 6 cm일 때, 가로는 몇 cm일까요?

식 : _____          답 : _____

③ 길이가 38 m인 줄로 직사각형 모양의 땅에 테두리를 만들려고 합니다. 땅의 가로가 7 m일 때, 세로는 몇 m일까요?

식 : _____          답 : _____

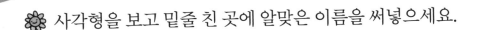
🌼 사각형을 보고 밑줄 친 곳에 알맞은 이름을 써넣으세요.

 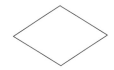

한 쌍의 변이 평행하므로 _____사다리꼴_____ 입니다.

마주 보는 두 쌍의 변이 서로 평행하므로 _____평행사변형_____ 입니다.

① 

한 쌍의 변이 평행하므로 _____ 입니다.

마주 보는 두 쌍의 변이 서로 평행하므로 _____ 입니다.

네 변의 길이가 모두 같으므로 _____ 입니다.

②

한 쌍의 변이 평행하므로 _____ 입니다.

마주 보는 두 쌍의 변이 서로 평행하므로 _____ 입니다.

네 각이 모두 직각이므로 _____ 입니다.

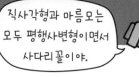

직사각형과 마름모는 모두 평행사변형이면서 사다리꼴이야.

✿ 다음은 모두 틀린 설명입니다. 틀린 이유를 써 보세요.

✪ 모든 사다리꼴은 평행사변형입니다.

> 이유: 한 쌍의 변만 평행한 사각형은 사다리꼴이지만 평행사변형은 아닙니다.

① 마주 보는 두 각의 크기가 같은 사각형은 마름모입니다.

> 이유:

② 이웃하는 두 각이 모두 둔각인 평행사변형이 있습니다.

> 이유:

✎ 그림을 보고 물음에 답하세요.

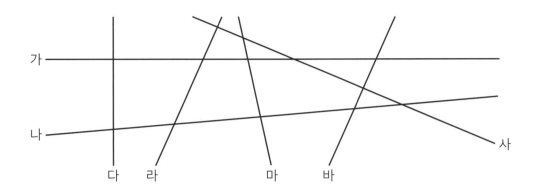

① 직선 가에 대한 수선을 찾아 기호를 쓰세요.

답 : _____

② 평행선인 두 직선을 찾아 기호를 쓰세요.

답 : _____

③ 직선 마에 대한 수선을 찾아 기호를 쓰세요.

답 : _____

④ 직선 라에 대한 수선을 찾아 기호를 쓰세요.

답 : _____

✏️ 다음 물음에 답하세요.

⑤ 두 변의 길이가 11 cm, 6 cm인 평행사변형의 네 변의 길이의 합은 몇 cm일까요?

식 : _____ 답 : _____

⑥ 네 변의 길이의 합이 32 cm인 평행사변형의 한 변의 길이가 9 cm입니다. 길이가 다른 한 변의 길이는 몇 cm일까요?

식 : _____ 답 : _____

✏️ 다음 물음에 답하세요.

⑦ 한 각의 크기가 115°인 마름모가 있습니다. 이 각과 이웃하는 각의 크기는 몇 도일까요?

식 : _____ 답 : _____

⑧ 울타리 한 바퀴의 길이가 32 m인 마름모 모양의 화단이 있습니다. 이 화단의 한 변의 길이는 몇 m일까요?

식 : _____ 답 : _____

✎ 다음은 틀린 설명입니다. 틀린 이유를 써 보세요.

⑨ 직사각형 중 마름모인 사각형은 그릴 수 없습니다.

이유 :

⑩ 두 각이 직각이면 직사각형입니다.

이유 :

⑪ 평행사변형이면서 마름모인 사각형은 직사각형입니다.

이유 :

# 진단평가

진단평가에는 앞에서 학습한 4주차의 문장제 활동이 순서대로 나옵니다. 잘못 푼 문제가 있으면 몇 주차인지 확인하여 반드시 한 번 더 복습해 봅니다.

| | |
|---|---|
| 1주차 | 3주차 |
| 2주차 | 4주차 |

✎ 시곗바늘을 그리고, 바늘이 이루는 작은 쪽 각의 종류를 써넣으세요.

① 8시 30분

② 4시

✎ 다음 디지털 숫자를 보고 물음에 답하세요.

③ 숫자 6을 아래쪽으로 1번, 오른쪽으로 1번 뒤집으면 어떤 숫자가 될까요?

답 : _____

④ 시계 방향으로 180° 돌렸을 때 원래 숫자와 같아지는 숫자를 모두 찾아보세요.

답 : _____

✎ 다음은 틀린 설명입니다. 틀린 이유를 써 보세요.

⑤ 이등변삼각형은 모두 예각삼각형입니다.

이유 :

✎ 다음 도형은 평행사변형입니다. ㉠의 각도를 구하세요.

⑥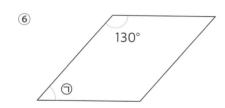

식 : _____

답 : _____

⑦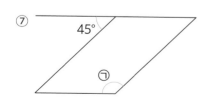

식 : _____

답 : _____

✎ ㉠의 각도를 구해 보세요.

①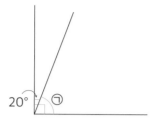

식 : _____

답 : _____

②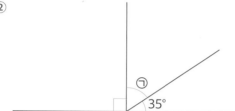

식 : _____

답 : _____

✎ 도형의 이동 방법을 설명해 보세요.

③ ㉯ 도형은 ㉮ 도형을 위쪽으로 _____ cm, _____ 쪽으로 _____ cm 밀어서 이동한 도형입니다.

✎ 삼각형을 보고 밑줄 친 곳에 알맞은 이름을 써넣으세요.

④

두 변의 길이가 같으므로 _____ 입니다.

세 각이 모두 예각이므로 _____ 입니다.

✎ 다음 물음에 답하세요.

⑤ 가로가 9 cm, 세로가 12 cm인 직사각형 모양의 색종이가 있습니다. 이 색종이의
네 변의 길이의 합은 몇 cm일까요?

식 : _____   답 : _____

‘

⑥ 네 변의 길이의 합이 22 cm인 직사각형이 있습니다. 직사각형 가로가 2 cm일 때,
세로는 몇 cm일까요?

식 : _____   답 : _____

✏️ ㉠과 ㉡의 각도의 합을 구해 보세요.

①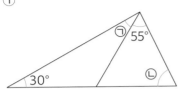

풀이 :

답 : _____

✏️ 주어진 방향으로 뒤집었을 때의 도형을 그려 보세요.

②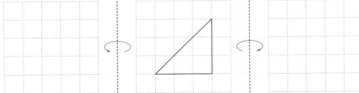

③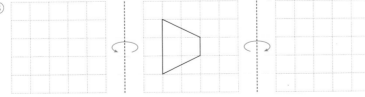

✎ 밑줄 친 곳에 삼각형의 이름을 알맞게 써넣으세요.

④ _____ 은 세 각의 크기가 같습니다.

⑤ 한 각이 60°인 이등변삼각형은 _____ 입니다.

⑥ 정삼각형은 두 각의 크기가 같으므로 모두 _____ 입니다.

✎ 다음은 틀린 설명입니다. 틀린 이유를 써 보세요.

⑦ 길이가 같은 변이 두 쌍 있는 사각형은 모두 평행사변형입니다.

이유 :

✎ ㉠과 ㉡의 각도의 합을 구해 보세요.

①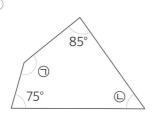

풀이 :



답 : _____

✎ 도형의 이동 방법을 설명해 보세요.

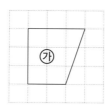 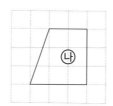 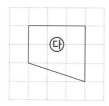

② ㉐ 도형은 ㉑ 도형을 시계 방향으로 _____ 만큼 돌린 도형입니다.

③ ㉑ 도형은 ㉒ 도형을 시계 반대 방향으로 _____ 만큼 돌린 도형입니다.

✎ 다음 물음에 답하세요.

④ 한 변의 길이가 11 cm인 정삼각형의 세 변의 길이의 합은 몇 cm일까요?

식 : _____     답 : _____

⑤ 오른쪽 이등변삼각형의 세 변의 길이의 합은 17 cm일 때 ㉠의 길이는 몇 cm일까요?

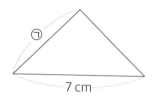

식 : _____     답 : _____

✎ 그림을 보고 물음에 답하세요.

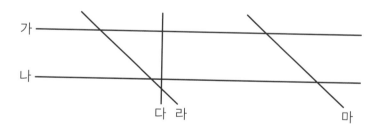

⑥ 직선 다에 대한 수선을 모두 찾아 기호를 쓰세요.

답 : _____

⑦ 직선 라와 평행한 직선을 찾아 기호를 쓰세요.

답 : _____

✎ 알맞은 풀이를 쓰고 답을 구하세요.

① 135°만큼 벌어진 부채를 15°만큼 좁혀서 접고, 다시 45°만큼 펼쳐서 벌렸습니다.
부채가 벌어진 각도는 몇 도일까요?

풀이 :

답 : _____

✎ 주어진 방법으로 뒤집고 돌렸을 때의 도형을 그려 보세요.

②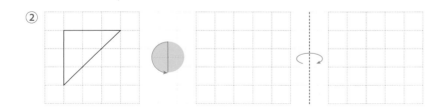

③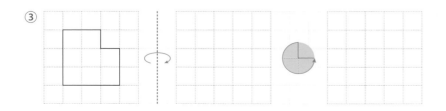

✎ 나머지 한 각의 크기를 구하고, 이등변삼각형인지 알아보세요.

④ 두 각의 크기가 각각 60°, 60°인 삼각형

식 : _____   답 : _____

주어진 삼각형은 이등변삼각형이 ( 맞습니다, 아닙니다 ).

⑤ 두 각의 크기가 각각 40°, 95°인 삼각형

식 : _____   답 : _____

주어진 삼각형은 이등변삼각형이 ( 맞습니다, 아닙니다 ).

✎ 다음 사다리꼴에서 평행선 사이의 거리를 구하세요.

⑥

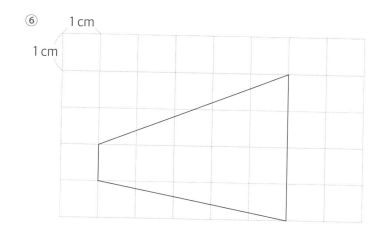

1 cm

1 cm

답 : _____

Memo

하루 10분 서술형 / 문장제 학습지

씨투엠

# 수학 독해

## 정답

### D2 평면도형
초4~초5

# 정답

## D2 평면도형
초4~초5

### 1일 예각, 직각, 둔각

각을 보고 예각, 직각, 둔각 중 어느 것인지 빈칸에 써넣으세요.

시곗바늘을 그리고, 바늘이 이루는 작은 쪽 각의 종류를 써넣으세요.

직각보다 작은 각을 예각, 직각보다 큰 각을 둔각이라고 불러.

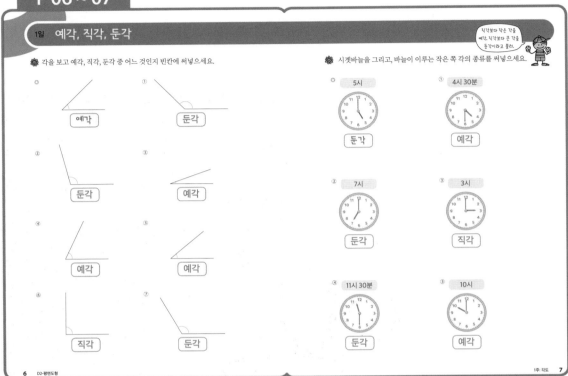

6  D2-평면도형

### 2일 각도의 합과 차

두 각도의 합과 차를 구해 보세요.

㉠의 각도를 구해 보세요.

직각의 크기는 90도이고, 직선이 이루는 각의 크기는 180도야.

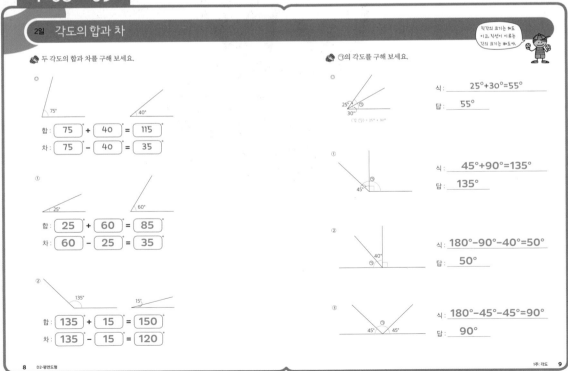

8  D2-평면도형

## P 10 ~ 11

### 3일 삼각형의 세 각

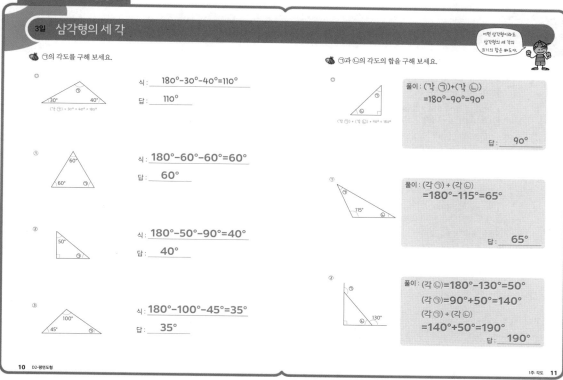

어떤 삼각형이라도 삼각형의 세 각의 크기의 합은 180도야.

🐝 ㉠의 각도를 구해 보세요.

○
식 : 180°-30°-40°=110°
답 : 110°
(각 ㉠) + 30° + 40° = 180°

① 식 : 180°-60°-60°=60°
답 : 60°

② 식 : 180°-50°-90°=40°
답 : 40°

③ 식 : 180°-100°-45°=35°
답 : 35°

🐝 ㉠과 ㉡의 각도의 합을 구해 보세요.

○
풀이 : (각 ㉠)+(각 ㉡)
=180°-90°=90°
(각 ㉠) + (각 ㉡) + 90° = 180°
답 : 90°

①
풀이 : (각 ㉠) + (각 ㉡)
=180°-115°=65°
답 : 65°

②
풀이 : (각 ㉡)=180°-130°=50°
(각 ㉠)=90°+50°=140°
(각 ㉠) + (각 ㉡)
=140°+50°=190°
답 : 190°

## P 12 ~ 13

### 4일 사각형의 네 각

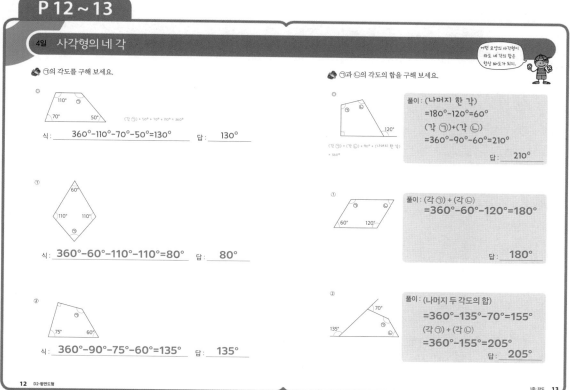

어떤 모양의 사각형이라도 네 각의 합은 항상 360도가 되지.

🐚 ㉠의 각도를 구해 보세요.

○
식 : 360°-110°-70°-50°=130° 답 : 130°
(각 ㉠) + 50° + 70° + 110° = 360°

①
식 : 360°-60°-110°-110°=80° 답 : 80°

②
식 : 360°-90°-75°-60°=135° 답 : 135°

🐚 ㉠과 ㉡의 각도의 합을 구해 보세요.

○
풀이 : (나머지 한 각)
=180°-120°=60°
(각 ㉠)+(각 ㉡)
=360°-90°-60°=210°
답 : 210°
(각 ㉠) + (각 ㉡) + 90° + (나머지 한 각) = 360°

①
풀이 : (각 ㉠) + (각 ㉡)
=360°-60°-120°=180°
답 : 180°

②
풀이 : (나머지 두 각도의 합)
=360°-135°-70°=155°
(각 ㉠) + (각 ㉡)
=360°-155°=205°
답 : 205°

## P 14 ~ 15

### 5일 각도 구하기

각도가 늘어나는 상황인지 줄어드는 상황인지 잘 구분해야 해.

🌸 알맞은 풀이를 쓰고 답을 구하세요.

◎ 지현이의 피자 조각은 가운데 각도가 120°이고, 민지의 피자 조각은 가운데 각도가 75°입니다. 지현이의 피자 조각은 민지의 것보다 각도가 몇 도 더 클까요?

풀이 : (두 피자 조각 가운데 각도의 차)
　　　(지현이 피자 조각 각도) - (민지 피자 조각 각도)
　　　= 120°- 75° = 45°

답 : 45°

① 35°만큼 벌어져 있는 가위를 70°만큼 더 벌렸습니다. 가위가 벌어진 각도는 몇 도일까요?

풀이 : (가위가 벌어진 각도)
　　　= (원래 벌어진 각도) + (더 벌린 각도)
　　　= 35°+ 70°=105°

답 : 105°

② 등산로의 경사도가 동쪽 경사로는 25°이고, 서쪽 경사로는 40°입니다. 서쪽 경사로는 동쪽 경사로보다 경사도가 몇 도 더 클까요?

풀이 : (경사도의 차)
　　　= (서쪽 경사로의 경사도) - (동쪽 경사로의 경사도)
　　　= 40° - 25° = 15°

답 : 15°

③ 수연이는 직각만큼 팔을 벌리고 서 있었습니다. 수연이가 팔을 30°만큼 더 벌렸다가 다시 50°만큼 좁혔다면 수연이가 벌린 팔의 각도는 몇 도일까요?

풀이 : (벌린 팔의 각도)
　　　= (원래 벌린 각도) + (더 벌린 각도) - (좁힌 각도)
　　　= 90° + 30° - 50° = 70°

답 : 70°

④ 삼각김밥의 두 각의 크기는 각각 50°, 65°입니다. 삼각김밥의 나머지 한 각의 크기는 몇 도일까요?

풀이 : (나머지 한 각도)
　　　= (삼각형의 세 각도의 합) - (주어진 두 각도의 합)
　　　= 180° - 115° = 65°

답 : 65°

⑤ 가오리연의 마주 보고 있는 두 각의 크기는 둘다 95°입니다. 가오리연의 나머지 두 각의 크기의 합은 몇 도일까요?

풀이 : (나머지 두 각도의 합)
　　　= (사각형의 네 각도의 합) - (주어진 두 각도의 합)
　　　= 360° - 190° = 170°

답 : 170°

## P 16 ~ 17

### 확인학습

✏️ 시곗바늘을 그리고, 바늘이 이루는 작은 쪽 각의 종류를 써넣으세요.

① 7시 30분

예각

② 9시

직각

✏️ 두 각도의 합과 차를 구해 보세요.

③

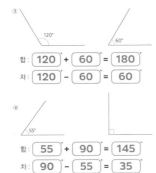
120°　60°

합 : 120 + 60 = 180

차 : 120 - 60 = 60

④

55°

합 : 55 + 90 = 145

차 : 90 - 55 = 35

✏️ ⊙의 각도를 구해 보세요.

⑤

40°
⊙ 70°

식 : 180°-40°-70°=70°

답 : 70°

⑥

120°　15°

식 : 180°-120°-15°=45°

답 : 45°

⑦

135°
⊙

식 : 360°-135°-90°-90°=45°　답 : 45°

⑧

150°　30°
30°　⊙

식 : 360°-150°-30°-30°=150°　답 : 150°

## P 18

### 확인학습

✎ 알맞은 풀이를 쓰고 답을 구하세요.

⑨ 정각 6시에 시계의 두 바늘이 이루는 각도는 180°였습니다. 30분 뒤에 두 바늘이 이루는 작은 쪽의 각도는 몇 도가 될까요?

> 풀이 : (6시 30분의 각도)
> =(6시의 각도) + (시침 이동 각도) − (분침 이동 각도)
> = 180° + 15° − 180° = 15°
>
> 답 : __15°__

⑩ 트라이앵글의 한 각의 크기는 70°입니다. 트라이앵글의 나머지 두 각의 크기의 합은 몇 도일까요?

> 풀이 : (나머지 두 각도의 합)
> =(삼각형의 세 각도의 합) − (주어진 각도)
> = 180° − 70° = 110°
>
> 답 : __110°__

⑪ 사각형 모양의 화단이 있습니다. 화단의 세 각의 크기가 각각 90°, 75°, 60°일 때, 나머지 한 각의 크기는 몇 도일까요?

> 풀이 : (나머지 한 각도)
> =(사각형의 네 각도의 합) − (주어진 세 각도의 합)
> = 360° − 225° = 135°
>
> 답 : __135°__

# 평면도형의 이동

## P 20 ~ 21

### 1일 밀기

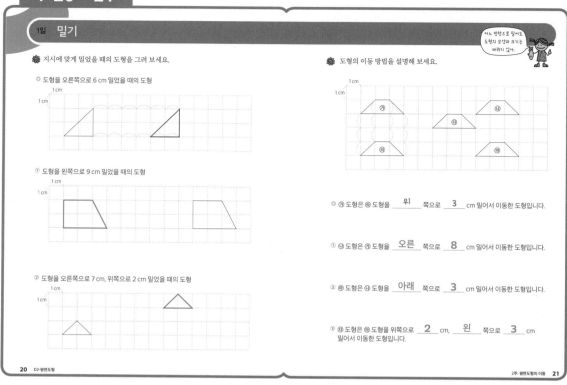

## P 22 ~ 23

### 2일 뒤집기

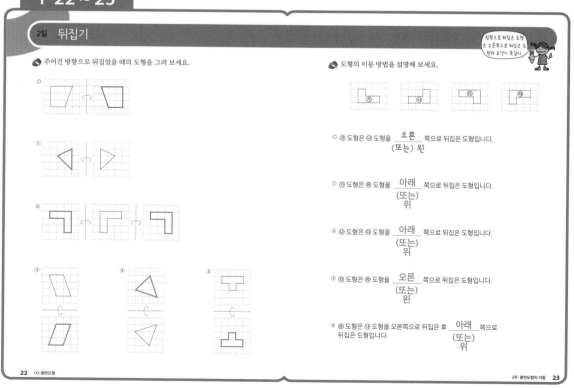

## P 24 ~ 25

### 3일 돌리기

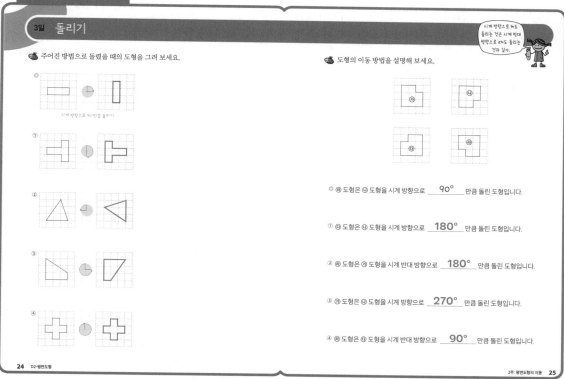

## P 26 ~ 27

### 4일 뒤집고 돌리기

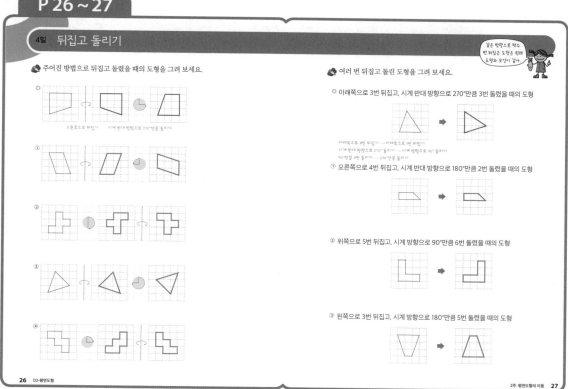

# P 28 ~ 29

## 5일 숫자 움직이기

뒤집었을 때 원래 도형과 같아지는 것을 선대칭이라고 해.

❀ 다음 디지털 숫자를 보고 물음에 답하세요.

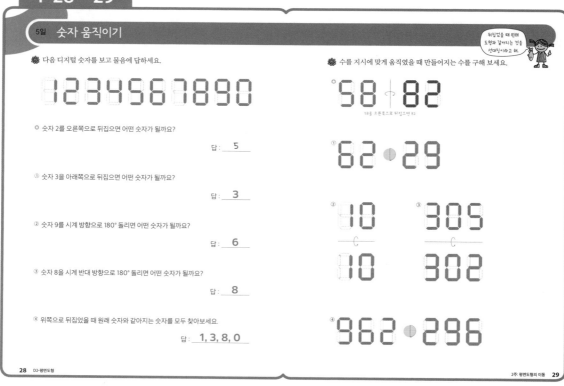

1234567890

◇ 숫자 2를 오른쪽으로 뒤집으면 어떤 숫자가 될까요?

답 : __5__

① 숫자 3을 아래쪽으로 뒤집으면 어떤 숫자가 될까요?

답 : __3__

② 숫자 9를 시계 방향으로 180° 돌리면 어떤 숫자가 될까요?

답 : __6__

③ 숫자 8을 시계 반대 방향으로 180° 돌리면 어떤 숫자가 될까요?

답 : __8__

④ 위쪽으로 뒤집었을 때 원래 숫자와 같아지는 숫자를 모두 찾아보세요.

답 : __1, 3, 8, 0__

❀ 수를 지시에 맞게 움직였을 때 만들어지는 수를 구해 보세요.

◦ 58 ┊ 82
58을 오른쪽으로 뒤집으면 82

① 62 ◖ 29

② 10 / 10

③ 305 / 302

④ 962 ◖ 296

# P 30 ~ 31

## 확인학습

✎ 지시에 맞게 밀었을 때의 도형을 그려 보세요.

① 도형을 아래쪽으로 1 cm, 왼쪽으로 6 cm 밀었을 때의 도형

✎ 주어진 방법으로 돌렸을 때의 도형을 그려 보세요.

⑤

⑥

✎ 주어진 방향으로 뒤집었을 때의 도형을 그려 보세요.

② ③ ④

✎ 여러 번 뒤집고 돌린 도형을 그려 보세요.

⑦ 왼쪽으로 2번 뒤집고, 시계 방향으로 180°만큼 6번 돌렸을 때의 도형

⑧ 아래쪽으로 5번 뒤집고, 시계 반대 방향으로 270°만큼 2번 돌렸을 때의 도형

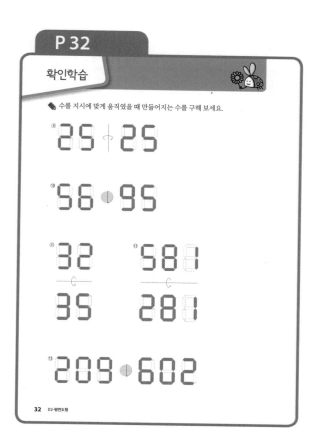

## P 34 ~ 35

### 1일  변의 길이에 따른 분류

❀ 다음 삼각형을 보고 물음에 답하세요.

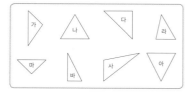

◦ 세 변의 길이가 모두 다른 삼각형을 모두 찾아보세요.

답 : **가, 라, 바, 사**

① 두 변의 길이가 같은 삼각형을 이등변삼각형이라고 합니다. 이등변삼각형을 모두 찾아보세요.

답 : **나, 다, 마, 아**

② 이등변삼각형 중 세 변의 길이가 모두 같은 삼각형을 정삼각형이라고 합니다. 정삼각형을 모두 찾아보세요.

답 : **나**

❀ 밑줄 친 곳에 삼각형의 이름을 알맞게 써넣으세요.

◦ 세 변의 길이가 같은 삼각형을 ___**정삼각형**___ 이라고 합니다.

① 두 변의 길이가 같은 삼각형을 ___**이등변삼각형**___ 이라고 합니다.

② 정삼각형은 두 변의 길이가 같으므로 모두 ___**이등변삼각형**___ 입니다.

③ 세 각이 모두 60°인 삼각형은 ___**정삼각형**___ 입니다.

④ ___**이등변삼각형**___ 은 두 각의 크기가 같습니다.
   (또는) 정삼각형

⑤ 두 변의 길이가 같고 한 각이 60°인 삼각형은 ___**정삼각형**___ 입니다.

> 이등변삼각형의 나머지 한 변의 길이도 같으면 정삼각형이야.

## P 36 ~ 37

### 2일  이등변삼각형과 정삼각형(1)

◈ 다음 도형은 이등변삼각형입니다. ㉠의 길이를 구하세요.

◦

5 cm / 8 cm

답 : **5 cm**

①
5 cm / 7 cm

답 : **7 cm**

②
6 cm / 9 cm

답 : **9 cm**

③
4 cm / 6 cm

답 : **4 cm**

◈ 다음 물음에 답하세요.

◦ 한 변의 길이가 8 cm인 정삼각형의 세 변의 길이의 합은 몇 cm일까요?

식 : **8 × 3 = 24**    답 : **24 cm**

(정삼각형의 세 변의 길이의 합)
= (정삼각형의 한 변의 길이) × 3

① 길이가 21 cm인 색 테이프로 한 변의 길이가 가장 긴 정삼각형을 만들려고 합니다. 정삼각형의 한 변의 길이는 몇 cm일까요?

식 : **21 ÷ 3 = 7**    답 : **7 cm**

② 오른쪽 이등변삼각형의 세 변의 길이의 합은 몇 cm일까요?

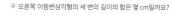
식 : **3+3+5=11**    답 : **11 cm**

③ 오른쪽 이등변삼각형의 세 변의 길이의 합이 14 cm일 때 ㉠의 길이는 몇 cm일까요?

식 : **14-5-5=4**    답 : **4 cm**

> 정삼각형의 둘레의 길이는 정삼각형의 한 변의 길이의 3배야.

## P 38 ~ 39

### 3일 이등변삼각형과 정삼각형(2)

이등변삼각형의 세 각 중 적어도 두 각의 크기는 항상 같아.

다음 도형은 이등변삼각형입니다. ㉠의 각도를 구하세요.

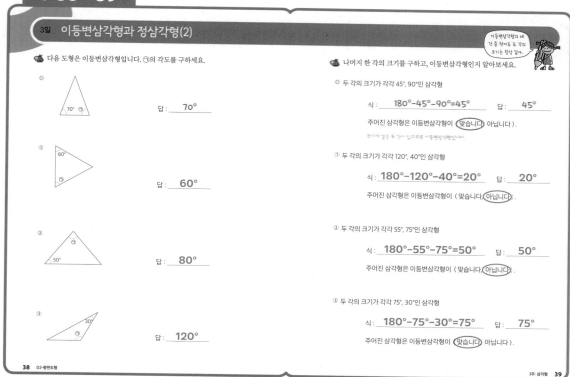

○

70° ㉠

답 : **70°**

①

60°

㉠

답 : **60°**

②

㉠

50°

답 : **80°**

③

30°

㉠

답 : **120°**

나머지 한 각의 크기를 구하고, 이등변삼각형인지 알아보세요.

○ 두 각의 크기가 각각 45°, 90°인 삼각형

식 : **180°-45°-90°=45°**   답 : **45°**

주어진 삼각형은 이등변삼각형이 (맞습니다) 아닙니다 ).

크기가 같은 두 각이 있으므로 이등변삼각형입니다.

① 두 각의 크기가 각각 120°, 40°인 삼각형

식 : **180°-120°-40°=20°**   답 : **20°**

주어진 삼각형은 이등변삼각형이 ( 맞습니다, (아닙니다) ).

② 두 각의 크기가 각각 55°, 75°인 삼각형

식 : **180°-55°-75°=50°**   답 : **50°**

주어진 삼각형은 이등변삼각형이 ( 맞습니다, (아닙니다) ).

③ 두 각의 크기가 각각 75°, 30°인 삼각형

식 : **180°-75°-30°=75°**   답 : **75°**

주어진 삼각형은 이등변삼각형이 ( (맞습니다) 아닙니다 ).

## P 40 ~ 41

### 4일 각의 크기에 따른 분류

예각삼각형은 세 각이 예각이고, 둔각삼각형은 한 각만 둔각이야.

밑줄 친 곳에 예각삼각형, 직각삼각형, 둔각삼각형 중 하나를 써넣으세요.

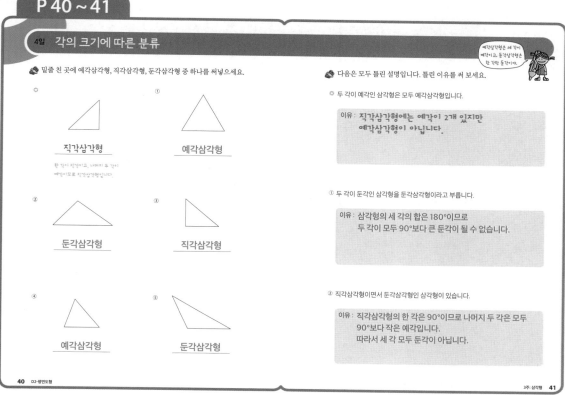

○

**직각삼각형**

한 각이 직각이고, 나머지 두 각이
예각이므로 직각삼각형입니다.

①

**예각삼각형**

②

**둔각삼각형**

③

**직각삼각형**

④

**예각삼각형**

⑤

**둔각삼각형**

다음은 모두 틀린 설명입니다. 틀린 이유를 써 보세요.

○ 두 각이 예각인 삼각형은 모두 예각삼각형입니다.

이유 : 직각삼각형에는 예각이 2개 있지만
예각삼각형이 아닙니다.

① 두 각이 둔각인 삼각형을 둔각삼각형이라고 부릅니다.

이유 : 삼각형의 세 각의 합은 180°이므로
두 각이 모두 90°보다 큰 둔각이 될 수 없습니다.

② 직각삼각형이면서 둔각삼각형인 삼각형이 있습니다.

이유 : 직각삼각형의 한 각은 90°이므로 나머지 두 각은 모두
90°보다 작은 예각입니다.
따라서 세 각 모두 둔각이 아닙니다.

P 42 ~ 43

### 5일  두 가지 기준으로 분류

변의 길이에 따라, 각의 크기에 따라 두 가지 기준으로 분류할 수 있어.

🌼 삼각형을 보고 밑줄 친 곳에 알맞은 이름을 써넣으세요.

⓪

두 변의 길이가 같으므로 __이등변삼각형__ 입니다.

한 각이 직각이므로 __직각삼각형__ 입니다.

①

두 변의 길이가 같으므로 __이등변삼각형__ 입니다.

세 변의 길이가 같으므로 __정삼각형__ 입니다.

세 각이 모두 예각이므로 __예각삼각형__ 입니다.

②

두 변의 길이가 같으므로 __이등변삼각형__ 입니다.

한 각이 둔각이므로 __둔각삼각형__ 입니다.

🌼 삼각형의 이름이 될 수 있는 것을 모두 찾아 ○표 하세요.

⓪ 두 각의 크기가 각각 50°, 80°인 삼각형

| (이등변삼각형) | 정삼각형 | |
| (예각삼각형) | 직각삼각형 | 둔각삼각형 |

나머지 한 각의 크기는 180°-50°-80°이므로
두 각의 크기가 같은 이등변삼각형이면서 세 각이 모두 예각인 예각삼각형입니다

① 두 각의 크기가 각각 60°, 60°인 삼각형

| (이등변삼각형) | (정삼각형) | |
| (예각삼각형) | 직각삼각형 | 둔각삼각형 |

② 두 각의 크기가 각각 30°, 40°인 삼각형

| 이등변삼각형 | 정삼각형 | |
| 예각삼각형 | 직각삼각형 | (둔각삼각형) |

P 44 ~ 45

### 확인학습

✏️ 다음 물음에 답하세요.

① 길이가 48 cm인 철사로 한 변의 길이가 가장 긴 정삼각형을 만들려고 합니다. 정삼각형의 한 변의 길이는 몇 cm일까요?

식 : __48 ÷ 3 = 16__   답 : __16 cm__

② 오른쪽 이등변삼각형의 세 변의 길이의 합은 몇 cm일까요?

2 cm
3 cm

식 : __2+2+3=7__   답 : __7 cm__

✏️ 다음 도형은 이등변삼각형입니다. ㉠의 각도를 구하세요.

③

110°
㉠

답 : __35°__

④

㉠

답 : __45°__

✏️ 다음은 모두 틀린 설명입니다. 틀린 이유를 써 보세요.

⑤ 한 각이 예각, 한 각이 직각, 한 각이 둔각인 삼각형을 그릴 수 있습니다.

이유 : 삼각형의 세 각의 합은 180°이므로
한 각이 90°, 나머지 한 각이 90°보다 큰 삼각형은
그릴 수 없습니다.

⑥ 직각삼각형이면서 이등변삼각형인 삼각형은 없습니다.

이유 : 세 각도가 각각 45°, 45°, 90°인 삼각형은
두 각의 크기가 같은 이등변삼각형이면서
직각삼각형입니다.

⑦ 정삼각형은 둔각삼각형입니다.

이유 : 정삼각형의 세 각은 모두 60°이므로
정삼각형은 항상 예각삼각형입니다.

## P 46

### 확인학습

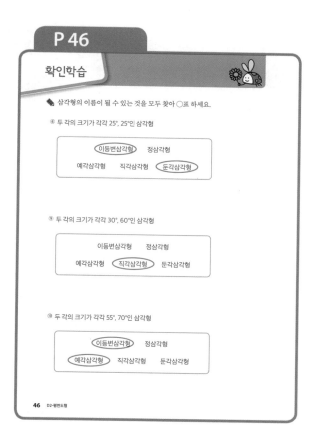

✎ 삼각형의 이름이 될 수 있는 것을 모두 찾아 ○표 하세요.

⑧ 두 각의 크기가 각각 25°, 25°인 삼각형

> ⃝이등변삼각형⃝   정삼각형
>
> 예각삼각형   직각삼각형   ⃝둔각삼각형⃝

⑨ 두 각의 크기가 각각 30°, 60°인 삼각형

> 이등변삼각형   정삼각형
>
> 예각삼각형   ⃝직각삼각형⃝   둔각삼각형

⑩ 두 각의 크기가 각각 55°, 70°인 삼각형

> ⃝이등변삼각형⃝   정삼각형
>
> ⃝예각삼각형⃝   직각삼각형   둔각삼각형

# 사각형

## 1일 수직과 평행

수직인 두 직선을 수선, 평행한 두 직선을 평행선이라고 해.

밑줄 친 곳에 알맞은 말을 써넣으세요.

◎ 두 직선이 만나서 이루는 각이 직각일 때, 두 직선은 서로 **수직** 이라고 합니다.

① 두 직선이 서로 수직으로 만나면 한 직선은 다른 직선에 대한 **수선** 이라고 합니다.

② 서로 만나지 않는 두 직선을 **평행** 하다고 합니다.

③ 평행한 두 직선을 **평행선** 이라고 합니다.

④ 평행선의 한 직선에서 다른 직선에 대한 수선을 긋습니다. 이때 이 수선의 길이를 **평행선 사이의 거리** 라고 합니다.

그림을 보고 물음에 답하세요.

◎ 직선 가와 평행한 직선을 찾아 기호를 쓰세요.

답 : **직선 나**

① 직선 나에 대한 수선을 모두 찾아 기호를 쓰세요.

답 : **직선 다, 직선 바**

② 직선 바와 평행한 직선을 찾아 기호를 쓰세요.

답 : **직선 다**

③ 직선 라에 대한 수선을 찾아 기호를 쓰세요.

답 : **직선 마**

## 2일 사다리꼴과 평행사변형

평행사변형은 두 쌍의 변이 평행하기 때문에 모두 사다리꼴이야.

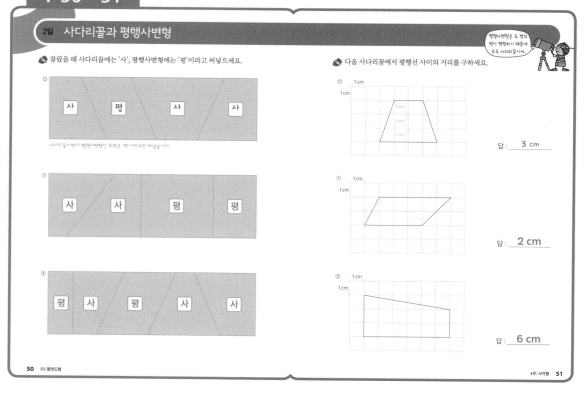

잘랐을 때 사다리꼴에는 '사', 평행사변형에는 '평'이라고 써넣으세요.

◎ 사 평 사 사

사다리꼴이지만 평행사변형인 도형은 '평'이라고만 해당습니다.

① 사 사 평 평

② 평 사 평 사 사

다음 사다리꼴에서 평행선 사이의 거리를 구하세요.

◎ 답 : **3 cm**

① 답 : **2 cm**

② 답 : **6 cm**

## P 52 ~ 53

### 3일 평행사변형의 변과 각

🐝 다음 물음에 답하세요.

○ 두 변의 길이가 6 cm, 8 cm인 평행사변형의 네 변의 길이의 합은 몇 cm일까요?

식 : 6+8+6+8=28　　　답 : 28 cm

평행사변형은 마주 보는 두 쌍의 변의 길이가 같으므로
나머지 두 변의 길이도 6 cm, 8 cm입니다.

① 두 변의 길이가 5 cm, 10 cm인 평행사변형의 네 변의 길이의 합은 몇 cm일까요?

식 : 5+10+5+10=30　　　답 : 30 cm

② 네 변의 길이의 합이 18 cm인 평행사변형의 한 변의 길이가 6 cm입니다. 길이가 다른 한 변의 길이는 몇 cm일까요?

식 : 18-6-6=6, 6÷2=3　　　답 : 3 cm

③ 길이가 26 cm인 철사를 남김없이 써서 한 변의 길이가 4 cm인 평행사변형을 만들었습니다. 길이가 다른 한 변의 길이는 몇 cm일까요?

식 : 26-4-4=18, 18÷2=9　　　답 : 9 cm

🐝 다음 도형은 평행사변형입니다. ㉠의 각도를 구하세요.

○

식 : 180°-120°=60°
답 : 60°

평행사변형에서 이웃하는 두 각도의 합은 180°입니다.

①

식 : 180°-35°=145°
답 : 145°

②

식 : 180°-70°=110°
답 : 110°

③

식 : 180°-140°=40°
답 : 40°

## P 54 ~ 55

### 4일 마름모와 직사각형

🐝 다음 물음에 답하세요.

○ 한 변의 길이가 9 cm인 마름모의 네 변의 길이의 합은 몇 cm일까요?

식 : 9 × 4 = 36　　　답 : 36 cm

마름모의 네 변의 길이는 모두 같으므로
네 변의 길이의 합은 한 변의 길이의 4배입니다.

① 한 변의 길이가 12 cm인 마름모의 네 변의 길이의 합은 몇 cm일까요?

식 : 12 × 4 = 48　　　답 : 48 cm

② 길이가 24 cm인 끈을 남김없이 써서 마름모를 만들려고 합니다. 마름모의 한 변의 길이는 몇 cm일까요?

식 : 24 ÷ 4 = 6　　　답 : 6 cm

③ 한 각의 크기가 75°인 마름모가 있습니다. 이 각과 이웃하는 각의 크기는 몇 도일까요?

식 : 180°-75°=105°　　　답 : 105°

🐝 다음 물음에 답하세요.

○ 가로가 8 cm, 세로가 7 cm인 직사각형의 네 변의 길이의 합은 몇 cm일까요?

식 : 8+7+8+7=30　　　답 : 30 cm

직사각형은 마주 보는 두 변의 길이가 같으므로
나머지 두 변의 길이도 각각 8 cm, 7 cm입니다.

① 가로가 3 m, 세로가 8 m인 직사각형 모양의 매트가 있습니다. 이 매트의 네 변의 길이의 합은 몇 m일까요?

식 : 3+8+3+8=22　　　답 : 22 m

② 네 변의 길이의 합이 20 cm인 직사각형 모양의 카드를 만들었습니다. 이 카드의 세로가 6 cm일 때, 가로는 몇 cm일까요?

식 : 20-6-6=8, 8÷2=4　　　답 : 4 cm

③ 길이가 38 m인 줄로 직사각형 모양의 땅에 테두리를 만들려고 합니다. 땅의 가로가 7 m일 때, 세로는 몇 m일까요?

식 : 38-7-7=24, 24÷2=12　　　답 : 12 m

# 사각형

## 5일  사각형의 분류

직사각형과 마름모는 모두 평행사변형이면서 사다리꼴이야.

❀ 사각형을 보고 밑줄 친 곳에 알맞은 이름을 써넣으세요.

㉠

한 쌍의 변이 평행하므로 <u>사다리꼴</u> 입니다.

마주 보는 두 쌍의 변이 서로 평행하므로 <u>평행사변형</u> 입니다.

㉡

한 쌍의 변이 평행하므로 <u>사다리꼴</u> 입니다.

마주 보는 두 쌍의 변이 서로 평행하므로 <u>평행사변형</u> 입니다.

네 변의 길이가 모두 같으므로 <u>마름모</u> 입니다.

㉢

한 쌍의 변이 평행하므로 <u>사다리꼴</u> 입니다.

마주 보는 두 쌍의 변이 서로 평행하므로 <u>평행사변형</u> 입니다.

네 각이 모두 직각이므로 <u>직사각형</u> 입니다.

❀ 다음은 모두 틀린 설명입니다. 틀린 이유를 써 보세요.

㉠ 모든 사다리꼴은 평행사변형입니다.

이유 : 한 쌍의 변만 평행한 사각형은 사다리꼴이지만 평행사변형은 아닙니다.

㉡ 마주 보는 두 각의 크기가 같은 사각형은 마름모입니다.

이유 : 마주 보는 두 각의 크기가 같은 사각형은 평행사변형 입니다. 마름모가 아닌 평행사변형을 그릴 수 있습니다.

㉢ 이웃하는 두 각이 모두 둔각인 평행사변형이 있습니다.

이유 : 평행사변형의 이웃하는 두 각도의 합은 180°이므로 두 각 모두 90°보다 큰 둔각인 평행사변형은 없습니다.

## 확인학습

✐ 그림을 보고 물음에 답하세요.

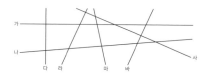

① 직선 가에 대한 수선을 찾아 기호를 쓰세요.

답 : <u>직선 다</u>

② 평행선인 두 직선을 찾아 기호를 쓰세요.

답 : <u>직선 라, 직선 바</u>

③ 직선 마에 대한 수선을 찾아 기호를 쓰세요.

답 : <u>직선 나</u>

④ 직선 라에 대한 수선을 찾아 기호를 쓰세요.

답 : <u>직선 사</u>

✐ 다음 물음에 답하세요.

⑤ 두 변의 길이가 11 cm, 6 cm인 평행사변형의 네 변의 길이의 합은 몇 cm일까요?

식 : <u>11+6+11+6=34</u>   답 : <u>34 cm</u>

⑥ 네 변의 길이의 합이 32 cm인 평행사변형의 한 변의 길이가 9 cm입니다. 길이가 다른 한 변의 길이는 몇 cm일까요?

식 : <u>32-9-9=14, 14÷2=7</u>   답 : <u>7 cm</u>

✐ 다음 물음에 답하세요.

⑦ 한 각의 크기가 115°인 마름모가 있습니다. 이 각과 이웃하는 각의 크기는 몇 도일까요?

식 : <u>180°-115°=65°</u>   답 : <u>65°</u>

⑧ 울타리 한 바퀴의 길이가 32 m인 마름모 모양의 화단이 있습니다. 이 화단의 한 변의 길이는 몇 m일까요?

식 : <u>32 ÷ 4 = 8</u>   답 : <u>8 m</u>

## P 60

### 확인학습

✎ 다음은 틀린 설명입니다. 틀린 이유를 써 보세요.

⑨ 직사각형 중 마름모인 사각형은 그릴 수 없습니다.

> 이유 : 네 각이 모두 직각이고, 네 변의 길이가 같은 사각형인
> 정사각형을 그릴 수 있습니다.

⑩ 두 각이 직각이면 직사각형입니다.

> 이유 : 두 각이 직각이고 나머지 두 각은 80°, 100°와 같이
> 직사각형이 아닌 사각형을 그릴 수 있습니다.

⑪ 평행사변형이면서 마름모인 사각형은 직사각형입니다.

> 이유 : 마름모는 모두 평행사변형이므로 평행사변형이면서
> 마름모인 사각형은 마름모입니다.

# 진단평가

**5주**

## P62 ~ 63

**1회차** 진단평가

제한 시간 15분
맞은 개수 /7개

시곗바늘을 그리고, 바늘이 이루는 작은 쪽 각의 종류를 써넣으세요.

① 8시 30분

예각

② 4시

둔각

다음 디지털 숫자를 보고 물음에 답하세요.

1234567890

③ 숫자 6을 아래쪽으로 1번, 오른쪽으로 1번 뒤집으면 어떤 숫자가 될까요?

답 : 9

④ 시계 방향으로 180° 돌렸을 때 원래 숫자와 같아지는 숫자를 모두 찾아보세요.

답 : 1, 2, 5, 8, 0

다음은 틀린 설명입니다. 틀린 이유를 써 보세요.

⑤ 이등변삼각형은 모두 예각삼각형입니다.

이유 : 세 각도가 각각 30°, 30°, 120°와 같이
두 각의 크기가 같은 이등변삼각형이면서
둔각삼각형인 삼각형이 있습니다.

다음 도형은 평행사변형입니다. ㉠의 각도를 구하세요.

⑥
식 : 180°-130°=50°
답 : 50°

⑦
식 : 180°-45°=135°
답 : 135°

62  D2-평면도형

진단평가 63

## P 64 ~ 65

**2회차** 진단평가

제한 시간 15분
맞은 개수 / 6개

㉠의 각도를 구해 보세요.

①
식 : 90°-20°=70°
답 : 70°

②
식 : 180°-90°-35°=55°
답 : 55°

도형의 이동 방법을 설명해 보세요.

③ ㉡ 도형은 ㉠ 도형을 위쪽으로 2 cm, 오른 쪽으로 9 cm
밀어서 이동한 도형입니다.

삼각형을 보고 밑줄 친 곳에 알맞은 이름을 써넣으세요.

④

두 변의 길이가 같으므로 이등변삼각형 입니다.

세 각이 모두 예각이므로 예각삼각형 입니다.

다음 물음에 답하세요.

⑤ 가로가 9 cm, 세로가 12 cm인 직사각형 모양의 색종이가 있습니다. 이 색종이의
네 변의 길이의 합은 몇 cm일까요?

식 : 9+12+9+12=42    답 : 42 cm

⑥ 네 변의 길이의 합이 22 cm인 직사각형이 있습니다. 직사각형 가로가 2 cm일 때,
세로는 몇 cm일까요?

식 : 22-2-2=18, 18÷2=9    답 : 9 cm

64  D2-평면도형

진단평가 65

## P 66 ~ 67

월 일
제한 시간 15분
맞은 개수 /7개

✎ ㉠과 ㉡의 각도의 합을 구해 보세요.

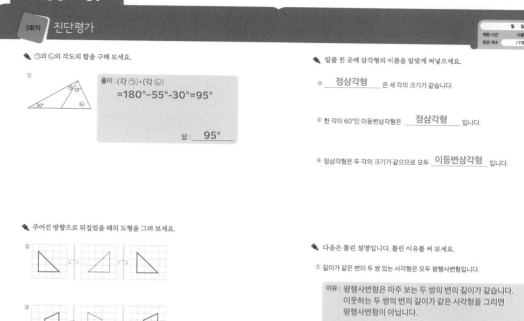

① 풀이 : (각 ㉠)+(각 ㉡)
=180°-55°-30°=95°

답 : __95°__

✎ 밑줄 친 곳에 삼각형의 이름을 알맞게 써넣으세요.

④ __정삼각형__ 은 세 각의 크기가 같습니다.

⑤ 한 각이 60°인 이등변삼각형은 __정삼각형__ 입니다.

⑥ 정삼각형은 두 각의 크기가 같으므로 모두 __이등변삼각형__ 입니다.

✎ 주어진 방향으로 뒤집었을 때의 도형을 그려 보세요.

✎ 다음은 틀린 설명입니다. 틀린 이유를 써 보세요.

⑦ 길이가 같은 변이 두 쌍 있는 사각형은 모두 평행사변형입니다.

이유 : 평행사변형은 마주 보는 두 쌍의 변의 길이가 같습니다.
이웃하는 두 쌍의 변의 길이가 같은 사각형을 그리면
평행사변형이 아닙니다.

## P 68 ~ 69

월 일
제한 시간 15분
맞은 개수 /7개

✎ ㉠과 ㉡의 각도의 합을 구해 보세요.

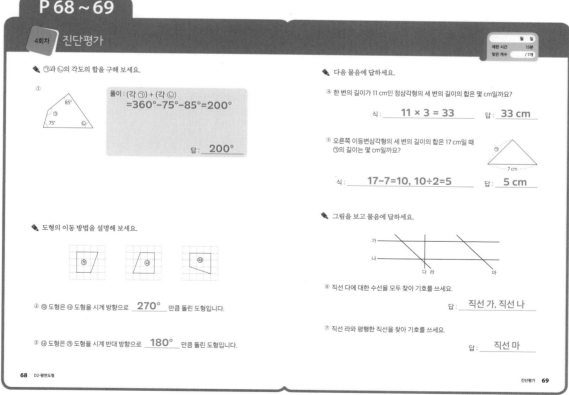

① 풀이 : (각 ㉠) + (각 ㉡)
=360°-75°-85°=200°

답 : __200°__

✎ 다음 물음에 답하세요.

④ 한 변의 길이가 11 cm인 정삼각형의 세 변의 길이의 합은 몇 cm일까요?

식 : __11 × 3 = 33__    답 : __33 cm__

⑤ 오른쪽 이등변삼각형의 세 변의 길이의 합은 17 cm일 때
㉠의 길이는 몇 cm일까요?

식 : __17-7=10, 10÷2=5__    답 : __5 cm__

✎ 도형의 이동 방법을 설명해 보세요.

② ㉰ 도형은 ㉯ 도형을 시계 방향으로 __270°__ 만큼 돌린 도형입니다.

③ ㉯ 도형은 ㉮ 도형을 시계 반대 방향으로 __180°__ 만큼 돌린 도형입니다.

✎ 그림을 보고 물음에 답하세요.

⑥ 직선 다에 대한 수선을 모두 찾아 기호를 쓰세요.

답 : __직선 가, 직선 나__

⑦ 직선 라와 평행한 직선을 찾아 기호를 쓰세요.

답 : __직선 마__

5회차 진단평가

계한 시간   15분
맞은 개수   / 6개

✎ 알맞은 풀이를 쓰고 답을 구하세요.

① 135°만큼 벌어진 부채를 15°만큼 좁혀서 접고, 다시 45°만큼 펼쳐서 벌렸습니다. 부채가 벌어진 각도는 몇 도일까요?

풀이 : (부채가 벌어진 각도)
= (원래 벌어진 각도) − (좁힌 각도) + (다시 벌린 각도)
= 135° − 15° + 45° = 165°

답 : ___165°___

✎ 주어진 방법으로 뒤집고 돌렸을 때의 도형을 그려 보세요.

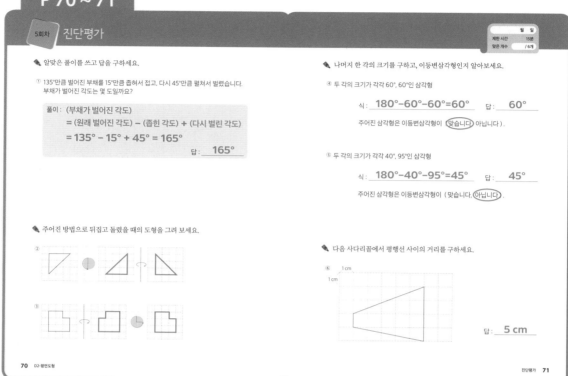

✎ 나머지 한 각의 크기를 구하고, 이등변삼각형인지 알아보세요.

④ 두 각의 크기가 각각 60°, 60°인 삼각형

식 : __180°−60°−60°=60°__   답 : __60°__

주어진 삼각형은 이등변삼각형이 ( (맞습니다) 아닙니다 ).

⑤ 두 각의 크기가 각각 40°, 95°인 삼각형

식 : __180°−40°−95°=45°__   답 : __45°__

주어진 삼각형은 이등변삼각형이 ( 맞습니다, (아닙니다) ).

✎ 다음 사다리꼴에서 평행선 사이의 거리를 구하세요.

⑥
1 cm
1 cm

답 : __5 cm__

> **The essence of mathematics
> is its freedom.**

**"수학의 본질은 그 자유로움에 있다."**

*Georg Cantor, 게오르크 칸토어*